île Maurice

Cap Malheureux

Grande Baie ●

Triolet ●

île D'ambre

Poudre d'or ●

Pamplemousses ●

Flacq ●

Terre Rouge ●

Port-Louis ★

C d

Beau-Bassin ●

Quatre Bornes

Vacoa-Phoenix ●

Flic-en-Flacq ●

Curepipe ●

Tamarin ●

Rose Belle ●

Mahébourg ●

Chemin Grenier ●

Soulliac ●

 île Maurice

Madagascar

**Données de catalogage
avant publication (Canada)**

Les Éditions Origo
Les aventures de Cosmo
Concept original de Pat Rac

La grande illusion
D'après une idée originale de Pat Rac
Illustrations : Pat Rac
Collaboration visuelle : Jean-François Hains
Responsable de la rédaction : Neijib Bentaieb
Vérification des textes : François Perras

ISBN 13 : 978-2-923499-13-0   ISBN 10 : 2-923499-13-1

Directeur littéraire : François Perras
Direction artistique : Racine & Associés
Infographie : Racine & Associés
Capital de risque : Technologies HumanID

Dépôt légal :
Bibliothèque nationale du Québec, 2009
Bibliothèque nationale du Canada, 2009

Les Éditions Origo
Boîte postale 4
Chambly (Québec) J3L 4B1
Canada
Téléphone : 450-658-2732
Courriel : info@editionsorigo.com

Imprimé au Canada

Gouvernement du Québec – Programme de crédit d'impôt
pour l'édition de livres – Gestion SODEC

À tous les enfants de la Terre!

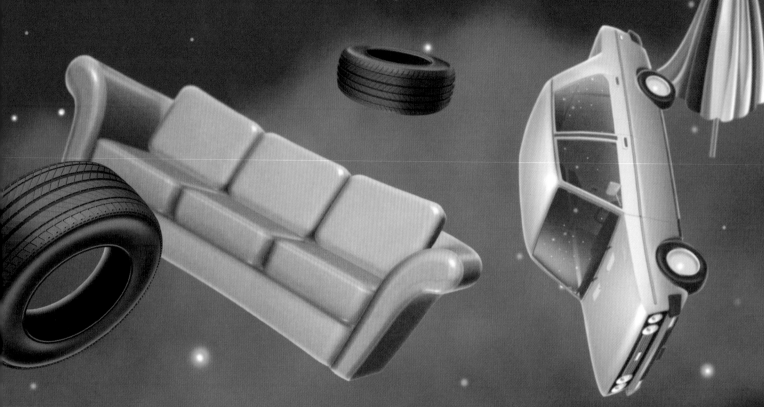

LES AVENTURES DE
Cosmo
Notre héros de l'environnement

Concept original de Pat Rac

La grande illusion

ÉDITIONS
origo

Cosmo et 3R-V parcourent l'Univers toujours à la recherche d'autres dodos.

À l'approche d'une nouvelle planète, de mystérieux obstacles se dressent sur la route de nos explorateurs. 3R-V zigzague habilement entre les objets sur son chemin.

3R-V évite de justesse une commode filante!

– **Whoa!** D'où viennent ces trucs? lance Cosmo.

– Regarde par là! Ça vient de cet endroit sur cette planète, répond 3R-V. C'est anormal, ajoute-t-il. Allons voir!

Curieux, nos héros descendent vers la planète.

3R-V et Cosmo atterrissent près d'un mystérieux personnage.

– Bonjour! Je suis Cosmo et voici mon ami 3R-V. Nous cherchons d'autres dodos comme moi. Que se passe-t-il ici? Qui êtes-vous donc?

– Comme le montre mon affiche, je suis Zigor, le grand illusionniste. Je suis magicien, dit-il fièrement.

– Est-ce qu'il y a des dodos sur votre planète? demande 3R-V.

– Peut-être bien… répond le magicien, d'un air mystérieux.

– Si vous faites de la magie, pouvez-vous faire apparaître ces dodos?! questionne Cosmo.

– **Ah non!** Moi, je fais disparaître les choses!
C'est bien mieux!
Les gens de ma planète m'apportent
leurs rebuts. Et hop!
Je les fais disparaître par magie,
dit Zigor.

– Je m'exerce justement en vue de mon grand spectacle.
  Pour vous montrer l'étendue de mon talent, je pourrais vous faire
  une représentation privée, suggère Zigor.

– Super! lance 3R-V. Nous serions heureux de cet honneur.

C'est l'heure du spectacle! Zigor monte en scène. Il déclare :
– Mesdames et messieurs, enfants et vieux, préparez-vous!
  Vous assisterez à un tour de grande magie.
  Un tour plus grand que nature.

Il ajoute ensuite :
– Regardez cette vieille télévision derrière moi. Elle est bien là?
  Dans quelques secondes, je la ferai disparaître.

Zigor lève sa baguette vers le ciel. Il formule :
– **Abracadabra, bon débarras!**

6

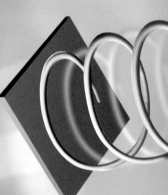

– Oh! Regardez là-bas, on dirait des dodos! lance tout à coup Zigor.

Intrigués, Cosmo et 3R-V se retournent subitement.
Nos héros cherchent du regard où se cachent les dodos,
mais rien à l'horizon.

Sans même que Cosmo et 3R-V ne s'en rendent compte, Zigor actionne subtilement le mécanisme de sa machine. En une seconde, la vieille télé est projetée vers l'espace.

Soudainement, Zigor dit :

La télé est disparue!

Cosmo se retourne vers Zigor. Déçu, il constate :
– Il n'y a pas de dodos par ici! Ce n'est qu'une manigance
  pour détourner notre attention.

– Il n'y a peut-être pas de dodos... mais il n'y a plus de vieille télé non plus!
  Vous pouvez maintenant m'acclamer, réplique fièrement Zigor.

Cosmo chuchote à son ami :
– Est-ce que tu crois ce que je crois?

– Oui! Son truc a sûrement rapport avec ce qu'on a vu dans l'espace,
répond 3R-V.

– Zigor, nous connaissons ton truc! lance Cosmo.
Tu ne fais pas disparaître les choses, tu les envoies dans l'espace!

Zigor devient nerveux.
Il regarde autour de lui et chuchote :
– **Chut!** Ne le dites à personne.
   Tous les magiciens ont leurs secrets...

3R-V analyse la situation. Il déclare :
– Vous savez, tout ce qui est lancé en l'air finit un jour ou l'autre par retomber.

– Zigor, tous ces objets pourraient donc te retomber sur la tête, constate Cosmo.

– **Pas du tout!** Je suis Zigor, le grand illusionniste. Je fais ce tour de magie depuis longtemps et rien n'est jamais retombé du ciel. Sachez qu'il est parfaitement au point!

Tout à coup, une machine à laver tombe des cieux.

La chose s'écrase au sol avec fracas. La scène de Zigor vole en éclats.

Pendant ce temps, 3R-V aperçoit un ciel menaçant...
Une tempête de déchets s'annonce!

La pluie de rebuts est de plus en plus forte. Nos héros doivent fuir ce déluge!

– Le ciel nous tombe sur la tête! dit 3R-V, paralysé par le phénomène.

– Attention! Il n'y a plus une seconde à perdre. Tous à l'abri!
s'écrie Cosmo.

Après un moment, les précipitations s'arrêtent subitement. C'est le calme après la tempête. Cosmo et Zigor sont stupéfaits devant l'ampleur des dégâts.

– Quelle catastrophe! Tous ces rebuts réapparus salissent ta planète, lance Cosmo.

– Quelle catastrophe! Tous ces rebuts réapparus salissent ma réputation de grand illusionniste, constate Zigor avec inquiétude.

Pendant ce temps, où est 3R-V?

Cosmo découvre son ami immobile au sol. Il a été durement frappé par un frigo.

– Nom d'un dodo dodu dormant avec une doudou!
Mon pauvre ami, tu es blessé! lance Cosmo, troublé.

– Mon aile... Elle est cassée. Je ne pourrai plus voler... émet faiblement 3R-V.

– Si je ne peux plus voler, nous ne pourrons jamais continuer nos recherches de dodos. Nous serons pris ici à jamais... dit 3R-V, avant de s'évanouir.

Cosmo est en colère. Il s'adresse à Zigor :
– Tu vois bien où tes trucs nous ont menés!
C'est maintenant qu'on aurait besoin d'un vrai tour de magie.

– Mais... C'est que... Je suis un vrai magicien, balbutie Zigor.

Tout à coup, Zigor saisit un vieux parasol et se dirige à toute vitesse vers 3R-V.

– J'ai plus d'un tour dans mon sac! lance Zigor.

Cosmo est méfiant. Que prépare le magicien?

– Allez, faites-moi confiance! insiste Zigor.

Zigor se cache derrière le parasol. Cosmo s'affole :
– Zigor, que fais-tu? Laisse mon ami tranquille!

– Ah! Encore quelques petites minutes et tout sera prêt!

Zigor entame enfin sa présentation :
– Mesdames et messieurs, enfants et vieux, préparez-vous! Vous assisterez à un tour de grande magie. Un tour plus grand que nature.

La baguette en l'air, Zigor dit finalement :
– Abracadabra! Une seconde vie tu auras!

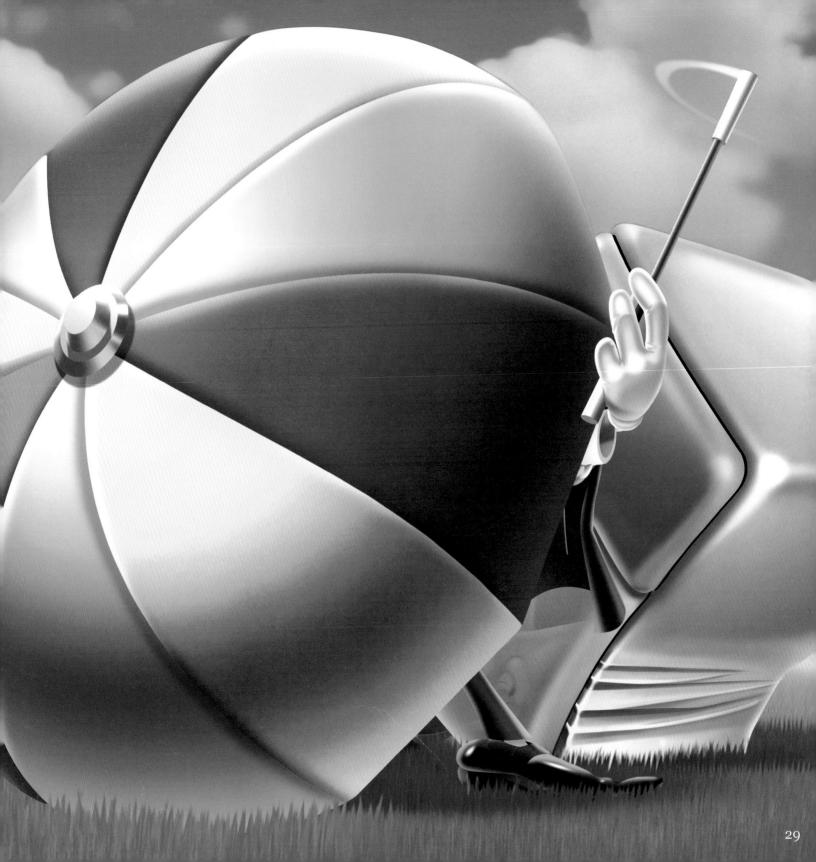

Zigor soulève soudainement le parasol en s'écriant :

Tadaaaam!

Cosmo est stupéfait : 3R-V se tient sur ses dodos-pattes et il semble en pleine forme.

– Mon aile fonctionne à nouveau. Merci beaucoup Zigor! dit 3R-V.

– **Wow!** Zigor, tu es vraiment magique! ajoute Cosmo.

Zigor est très fier de ce qu'il vient d'accomplir. Il demande à Cosmo et 3R-V :
– Alors, aimez-vous ce nouveau tour de magie?

– C'est fantastique! lance Cosmo. Qu'as-tu fait au juste?

– Ah! Tous les magiciens ont leurs secrets. Mais, disons que j'ai découvert que
ces vieux objets peuvent se transformer en quelque chose d'utile, répond Zigor.

– Ça, c'est de la vraie magie, dit Cosmo.

– Maintenant, au lieu de faire disparaître tous les vieux
   déchets, je donnerai une nouvelle vie à ces objets,
   dit Zigor.

– C'est une excellente idée, ajoute Cosmo.

– Appelez-moi désormais :
   Zigor, le grand recycleur!

– Ça fera un excellent spectacle! affirme 3R-V.

35

Après avoir salué le grand magicien Zigor, nos deux héros s'envolent
vers de nouvelles aventures.

– Je suis convaincu que Zigor va obtenir beaucoup de succès avec ses nouveaux spectacles,
dit Cosmo.

– J'espère qu'il aura de bonnes idées à chaque fois! répond 3R-V.

– En tout cas, on peut dire que son premier numéro avec toi a été sensationnel.
Allons trouver des dodos! lance Cosmo.